Qui parle français ?

Livre 8

par Carla Tarini

illustrations par Esther Rosier

Qui parle français ? Livre 8

First edition 2020

Author: Carla Tarini
Editor: Kirstin Plante
Copy editor: Anny Ewing
Illustrator: Esther Rosier
Design: Arcos Publishers

Arcos Publishers
Molengouw 36
1151 CJ Broek in Waterland
The Netherlands
info@arcospublishers.com
www.arcospublishers.com

ISBN 9789490824389

BISAC LAN012000
Keywords: language learning, French language, French-speaking cultures
Language level: CERF: A2, ACTFL: novice-high

Contents

Zinédine
Zidane
1972

Je m'appelle Zinédine Zidane

Je m'appelle Zinédine Zidane. On m'appelle[1] Zizou.

Je suis né en 1972 (mille neuf cent soixante-douze) à Marseille, en France.

Je suis français. Je suis d'origine algérienne. Je suis musulman.

Je suis fort, sportif et… beau ! N'est-ce pas ?

J'aime courir. Je cours très vite.

J'adore jouer au foot. Je vis pour jouer au foot.

Sur le terrain de foot, je suis agressif et élégant.

Je sais tout faire. Je sais dribbler. Je sais feinter. Je sais marquer des buts.

Quand je joue, les autres joueurs jouent mieux grâce à moi.

Est-ce que je suis le meilleur joueur du monde ? C'est possible !

Je joue dans la Coupe du monde à Berlin en 2006 (deux mille six).

Je n'accepte pas les insultes envers ma famille. Je déteste ça.

J'ai une réaction très forte si on insulte ma famille.

J'ai beaucoup de trophées, de médailles et de coupes de championnat.

J'ai aussi 14 (quatorze) cartons rouges[2]. Zut ! Chut !

Je suis un héros national en France. Vive le foot !

1. on m'appelle – people call me
2. cartons rouges – red penalty cards in soccer, used to eject a player

Je m'appelle Hélène Cixous

Je m'appelle Hélène Cixous.

Je suis née en Algérie, en Afrique, en 1937 (mille neuf cent trente-sept).

Ma ville, Oran, est une ville pleine de quartiers, de gens et de langues.

Je suis juive. Je parle allemand et français.

Mon père veut que j'apprenne l'hébreu et l'arabe.

Il y a très peu de Juifs dans mon école. Il y a très peu de filles aussi.

Quand je vais en France, je suis la seule Nord-Africaine de la classe.

Je réfléchis aux questions d'identité. J'écris souvent. J'écris beaucoup.

Qu'est-ce que ça veut dire être juive, française, algérienne... et femme ?

Mon ami Jacques Derrida est comme moi : juif, français et algérien.

Je pense beaucoup au rôle de la femme dans la société.

Je critique l'oppression des femmes par les hommes.

J'ai un rôle important dans la création d'une nouvelle université à Paris.

Je fonde aussi le Centre d'études féminines. C'est le premier en Europe !

Je pense que la femme peut se transformer par l'écriture.

Est-ce qu'une femme écrit d'une manière différente d'un homme ? Oui.

Je dis souvent : « Écris ! »

Hélène
Cixous
1937

Laura
Flessel-Colovic
1971

Je m'appelle Laura Flessel-Colovic

Je m'appelle Laura Flessel-Colovic.

Je viens de Guadeloupe. En créole, c'est la Gwadloup. Je suis française.

La Guadeloupe est située dans la mer des Caraïbes.

Je suis née le six novembre 1971 (mille neuf cent soixante et onze).

Je suis une très bonne athlète. Je suis forte, rapide et patiente.

Je suis une femme motivée et déterminée.

Je fais de l'escrime[3]. Je commence à faire de l'escrime à l'âge de six ans.

J'ai une épée, comme les trois mousquetaires.

Est-ce que je suis dangereuse avec mon épée ? Oui ! Bien sûr !

On m'appelle aussi la guêpe[4]. Bzzz !

Je participe à beaucoup de compétitions et j'ai beaucoup de médailles.

Je porte le drapeau français aux Jeux Olympiques de Londres. Quel honneur !

J'ai cinq médailles olympiques et je suis deux fois championne olympique.

J'aime aussi danser. Je danse dans l'émission *Danse avec les stars* !

Je participe au gouvernement français comme ministre des Sports.

Ma fondation, Ti'Colibri, aide les clubs d'escrime qui ont peu de ressources.

Avec le sport, on apprend beaucoup plus que le sport.

3. l'escrime – fencing
4. la guêpe – the wasp

Je m'appelle Ousmane Sembène

Je m'appelle Ousmane Sembène.

Je suis né en 1923 (mille neuf cent vingt-trois) au Sénégal, en Afrique.

Je parle wolof, français et arabe.

J'aime les masques africains. J'aime les bandes dessinées. J'aime les films.

Je n'ai pas une éducation traditionnelle. J'apprends à l'école de la vie[5].

J'aime beaucoup lire.

J'ai des livres des Américains Richard Wright et Ernest Hemingway.

J'adore écrire. J'écris des poèmes, des essais et des livres.

Je fais aussi des films. Je suis un cinéaste très célèbre.

Est-ce que je suis le père du cinéma africain ? C'est possible.

Je suis content du succès de mon film, *La Noire de...*

Mon film explore les thèmes du colonialisme, du racisme et de l'identité.

Je suis influencé par ma grand-mère, une femme exceptionnelle.

Je pense que les femmes africaines sont fortes, intelligentes et courageuses.

Je veux que le monde change pour le mieux.

Est-ce qu'un film peut changer une vie ? Je pense que oui.

Est-ce qu'un film peut changer un continent ? J'espère que oui.

5. j'apprends à l'école de la vie – I learn in the school of life

Ousmane
Sembène
1923 – 2007

Ali Farka
Touré
1939 – 2006

Je m'appelle Ali Farka Touré

Je m'appelle Ali Farka Touré.

Je suis né en 1939 (mille neuf cent trente-neuf) près de Tombouctou, au Mali.

Je suis fermier. Je suis aussi guitariste.

Mon village, Niafunké, est la source de mon inspiration.

Je joue de nombreux instruments africains, comme le gurkel et le njarka.

Je chante dans de nombreuses langues africaines.

Je chante en songhaï, peul, touareg et bambara.

Je vais partout dans le monde pour faire des concerts.

J'aime la musique des Américains John Lee Hooker et Ry Cooder.

Je pense que le blues, c'est la musique de ma région au Mali.

Les personnes en esclavage en Amérique chantent la musique de Mali.

Le cinéaste Martin Scorsese aime ma musique. Je suis dans un de ses films.

Je joue de temps en temps avec le griot[6] Toumani Diabaté.

Mon ami, Toumani, joue du kora. Le kora, c'est un bel instrument.

J'ai trois Grammys pour ma musique.

Je veux préserver la culture et les traditions de mon peuple.

Pour moi, Tombouctou, c'est le centre du monde.

---

6. griot – an official musician, storyteller, historian in West Africa who remembers and teaches the cultural traditions. The art of the griot is passed from parent to child.

Je suis René Descartes

Je suis René Descartes.

Je pense beaucoup.

Je suis né en 1596 (mille cinq cent quatre-vingt-seize) en France.

Je pense à ma vie et aussi à l'existence humaine.

Je suis un peu fragile et souvent malade. Atchoum ! Atchoum !

Je pense que c'est important de poser beaucoup de questions.

Je suis très bon en mathématiques : en algèbre et géométrie.

Je pense que le doute est important.

Je suis très bon en sciences : la science de Galilée.

Je pense qu'il y a six passions importantes.

Je suis une personne intelligente et tolérante.

Je pense que c'est important de... penser !

Je suis une figure importante de la révolution scientifique.

Je pense que je suis un génie.

Je suis, donc je pense ? Non !

Je pense, donc je suis[7].

7. Je pense, donc je suis – I think, therefore I am

René
Descartes
1596 – 1650

Élodie
Yung
1981

Je m'appelle Élodie Yung

Je m'appelle Élodie Yung.

Je suis née en 1981 (mille neuf cent quatre-vingt-un) à Paris.

Mon père est cambodgien. Le Cambodge est en Asie du Sud-Est.

Ma mère est française. La France est en Europe.

Je parle français, bien sûr. Je parle aussi anglais et un peu khmer.

J'aime la cuisine cambodgienne. Mon père fait bien la cuisine.

J'aime aussi un bon café avec un pain au chocolat ou un croissant.

J'ai un diplôme en droit[8], mais est-ce que je veux être juge ou avocate ? Non.

Je sais faire du karaté. Je suis experte en karaté.

Je suis actrice. Je préfère les films d'action. C'est dynamique !

Je fais tout ce que je peux quand je joue dans un film d'action.

Je joue le rôle de Jinx, une ninja, dans le film *G.I. Joe : Retaliation*.

Je fais un voice-over dans *Call of Duty: WWII*.

Est-ce que j'aime jouer aux jeux vidéos ? C'est un secret !

Je fais partie du CIFF – Cambodian International Film Festival.

Je voyage au Cambodge, mais je ne veux pas être touriste.

Je veux faire quelque chose d'utile et d'important au Cambodge.

8. diplôme en droit – law degree

Je m'appelle Catherine Samba-Panza

Je m'appelle Catherine Samba-Panza.

Je suis née en 1956 (mille neuf cent cinquante-six) au Tchad, en Afrique.

Mon père est camerounais et ma mère est centrafricaine.

Je suis chrétienne. Je parle français et arabe.

Je passe du temps en Centrafrique avec mon oncle. Il est diplomate.

Je vais à l'université en France.

J'ai un diplôme en droit et j'ai d'autres diplômes avancés.

Il y a une crise en Centrafrique. Il y a beaucoup de problèmes.

Je déteste la violence contre les femmes en Centrafrique.

Je ne tolère pas la corruption.

Il y a des conflits entre les chrétiens et les musulmans dans mon pays.

Je pense qu'il y a trop de personnes armées. C'est dangereux.

Je veux aider le gouvernement à transitionner d'un président à l'autre.

Je suis présidente de transition. Il n'y a pas beaucoup de femmes présidentes.

Je dis à tous mes frères centrafricains : « Déposez vos armes[9] ! »

Il faut déposer les armes. Il faut se parler. Il faut s'écouter.

Je pense que la réconciliation est possible. Difficile, mais possible.

9. « Déposez vos armes ! » – "Put down your weapons!"

Catherine
Samba-Panza
1956

Sonia
Rolland Uwitonze
1981

Je m'appelle Sonia Rolland Uwitonze

Je m'appelle Sonia Rolland Uwitonze.

Je suis née en 1981 (mille neuf cent quatre-vingt-un) à Kigali, au Rwanda.

Je suis rwandaise et française. Mon père est français. Ma mère est tutsie[10].

Le génocide au Rwanda est atroce. Atroce.

Je vais en France avec ma famille pour échapper au danger.

Je suis mannequin[11]. Je suis la première Miss France d'origine africaine.

J'écris un livre, *Beauté Black : Le guide pratique de la beauté noire*.

Je suis actrice au cinéma et à la télévision.

Je joue dans les films de Woody Allen, Bertrand Tavernier et d'autres.

Je joue aussi dans une mini-série sur la vie du Haïtien Toussaint Louverture.

Je fonde une association, Maïsha Africa, pour aider les enfants du génocide.

Je suis aussi dans une bande dessinée qui s'appelle *Les aventures de Maïsha*.

Je décide de faire un film sur le Rwanda. Je fais un documentaire.

Le titre de mon film, c'est : *Rwanda, du chaos au miracle*.

Je suis impressionnée par la résilience des Rwandais.

Je fais un autre documentaire : *Homosexualité : du rejet au refuge*.

Je pense qu'il est important d'accepter tout le monde.

---

10. Tutsis are a minority ethnic group in Rwanda. They were persecuted by the Hutu majority.
11. mannequin – fashion model

Je m'appelle Claude Monet

Je m'appelle Claude Monet.

Je suis né en 1840 (mille huit cent quarante) à Paris, en France, en Europe.

Mes parents sont catholiques. Est-ce que je suis athée ? C'est possible.

Je suis artiste. Je suis peintre. Je suis souvent pauvre.

Mon père n'aime pas la vie des artistes. Ma mère y est plus favorable.

J'ai des amis qui sont aussi artistes : Camille Pissarro et Auguste Renoir.

J'aime les couleurs. Je regarde les couleurs avec attention.

La couleur est mon obsession. C'est ma joie et mon tourment.

J'adore peindre en plein air[12]. La nature est la source de mon inspiration.

Je peins souvent la même scène à des heures, jours ou saisons différents.

Je vais à Rouen pour peindre la cathédrale. Je la repeins encore et encore.

Quel est l'effet de la lumière sur les objets ? Je suis fasciné par la lumière.

Je suis impressionné par le changement des saisons.

Je suis impressionné par le passage du temps.

Je suis impressionné par la nature : la mer, la neige, le soleil…

Je suis impressionné par les fleurs dans mon jardin à Giverny.

12. peindre en plein air – to paint outside

Claude
Monet
1840 – 1926

Carla
Tarini
1962

Meet the author

My name is Carla Tarini.

I was born in 1962, near Chicago, in the United States.

My family loves boxer puppies. We also like to play cards.

At the university, I study French and Italian.

My favorite teacher is Madame Kaplan. Now she is my friend.

I go to Nice, France and stay there for four years.

I have two children and one dog. They are the best!

I like to walk along the beach, swim and do crossword puzzles.

I am a French teacher.

I learn to teach with Comprehensible Input.

My students acquire French very quickly now. Yay!

I love to write stories. I have fun doing research for this biography series.

I find many interesting people– some famous, others less famous.

To me, they are equally important: they are all people.

I hope you enjoy reading these stories.

I hope you enjoy meeting everyone.

I hope you enjoy discovering the French-speaking world.

TERRE-NEUVE

QUÉBEC

MAINE

NOUVEAU-BRUNSWICK

ST-PIERRE

SAINT-PIERRE-ET-MIQUELON

LOUISIANE

SAINT—MARTIN

SAINT BARTHÉLEMY

GUADELOUPE

DOMINIQUE

MARTINIQUE

SAINTE—LUCIE

HAÏTI

AMÉRIQUE DU SUD

GUYANE (FRANÇAISE)

Afrique

Océanie

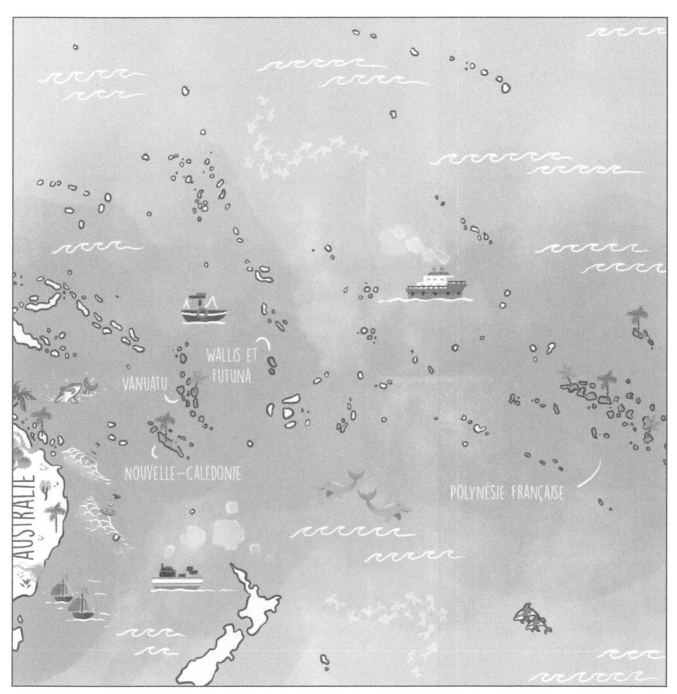

AUSTRALIE

VANUATU

WALLIS ET FUTUNA

NOUVELLE-CALÉDONIE

POLYNÉSIE FRANÇAISE

Glossary

A

a	has
il y a	there is; there are
à	in; at; to
accepte	accept
accepter	to accept
action	action
actrice	actress
africain(s)	African
africaine(s)	African
Afrique	Africa
âge	age
agressif	aggressive
ai	have
aide	helps
aider	to help
aime	like, love; likes, loves
aiment	like, love
air	air
en plein air	outdoors
algèbre	algebra
Algérie	Algeria
algérien	Algerian
algérienne	Algérian
allemand	German
Américains	Americans
ami(s)	friend(s)

ans	years
à l'âge de six ans	at age six
anglais	English
appelle	call
je m'appelle	my name is
on m'appelle	people call me
apprend	learn
apprendre	to learn
apprenne	learn
arabe	Arabic
armées	armed
armes	arms; weapons
art	art
artiste(s)	artist(s)
Asie	Asia
association	association
atchoum	achoo
athée	atheist
athlète	athlete
atroce	atrocious
attention	attention
au	in the; at the; to the
jouer au foot	to play soccer
échapper au danger	to escape from danger
aussi	also, too
autre	other
autres	other; others

d'autres	other; others
aux	in the; at the; to the
pense aux	think about
réfléchis aux	reflect on
avancés	advanced
avec	with
aventures	adventures
avocate	lawyer

B

bambara	Bambara
bande(s) dessiné(s)	comic book(s)
beau	handsome
beaucoup	a lot; much
beaucoup de	a lot of, many
beauté	beauty
bel	beautiful, handsome
bien	well
bien sûr	of course
biographies	biographies
blues	blues music
bon	good
bonne	good
buts	goals
bzzz	bzzz

C

c'est	it is; that is
ça	it; that
café	coffee
Cambodge	Cambodia

cambodgien	Cambodian
cambodgienne	Cambodian
camerounais	Cameroonian
Caraïbes	Caribbean
cartons	cards
cathédrale	cathedral
catholiques	Catholic
cause	cause
à cause de	because of
ce	it; this
ce que	that
est-ce que	is it that
n'est-ce pas	isn't that so
célèbre	famous
cent	hundred
centrafricaine	Central African
centrafricains	Central African
Centrafrique	Central African Republic
centre	center
ces	these
championnat	championship
championne	champion
change	change
changement	change
changer	to change
chante	sing
chaos	chaos
chaque	each
chocolat	chocolate
chose	thing
chrétienne	Christian

chrétiens	Christians
chut	shhh
cinéaste	filmmaker, director
cinéma	cinema, movies
cinq	five
cinquante	fifty
classe	class
clubs	clubs
colonialisme	colonialism
comme	like; as; such as
commence	begin
compétitions	competitions
concerts	concerts
connaître	to know
content	content
continent	continent
contre	against
corruption	corruption
couleur(s)	color(s)
Coupe du monde	World cup
coupes de championnat	championship cups
courageuses	courageous
courir	to run
cours	run
création	creation
créole	creole
crise	crisis
critique	criticize
croissant	croissant
cuisine	cooking
culture	culture

D

d'	of; from
danger	danger
dangereuse	dangerous
dangereux	dangerous
dans	in
danse	dance
de	of; from
je fais de l'escrime	I do fencing
près de	near
de temps en temps	from time to time
peu de	few
décide	decide
déposer	to put down
déposez	put down
des	of the; from the; some
dessinée: bande(s) dessinée(s)	comic book(s)
déterminée	determined
déteste	detest, hate
deux	two
différente	different
différents	different
difficile	difficult
diplomate	diplomat
diplôme(s)	diploma(s)
dis	say
dix	ten
documentaire	documentary
donc	therefore
doute	doubt

douze	twelve	**escrime**	fencing
drapeau	flag	**espère**	hope
dribbler	to dribble	**essais**	essays
droit	law	**est**	is
du	of the; from the	**est-ce que**	is it that
joue du kora	play the kora	**et**	and
dynamique	dynamic	**être**	to be; being
		études	studies

E

		Europe	Europe
échapper au	to escape from	**excellent**	excellent
école	school	**exceptionnelle**	exceptional
écrire	to write	**existence**	existence
écris	write	**experte**	expert
écrit	writes	**explore**	explore
écriture	writing		

F

éduation	education		
effet	effect	**faire**	to do; to make
élégant	elegant	**fais**	do; make
elles	they	**je fais partie**	I take part
émission	program, TV show	**fait**	does; makes
en	in; to; about it	**fait la cuisine**	cooks
en savoir plus	to know more about it	**famille**	family
de temps en temps	from time to time	**fasciné**	fascinated
encore	again	**faut: il faut**	it is necessary
endroits	places	**favorable**	favorable
enfants	children	**feinter**	to fake
enfin	finally	**féminines**	feminine
entre	between	**études féminines**	women's studies
envers	towards	**femme**	woman
épée	sword	**femmes**	women
esclavage	slavery	**fermier**	farmer

festival	festival
figure	figure
filles	girls
film(s)	film(s), movie(s)
fleurs	flowers
fois	times
deux fois	twice
fondation	foundation
fonde	found, set up
font	do; make
foot	soccer
fort	strong; intense
forte(s)	strong
fragile	fragile
français	French
française	French
France	France
frères	brothers

G

génie	genius
génocide	genocide
gens	people
géométrie	geometry
gouvernement	government
grâce à moi	thanks to me, because of me
Grammys	Grammys
grand-mère	grandmother
griot	griot
guêpe	wasp

guide	guide
guitariste	guitarist
gurkel	one-stringed guitar
Gwadloup	Guadeloupe

H

haïtien	Haitian
hébreu	Hebrew
héros	hero
heures	hours
homme	man
hommes	men
homosexualité	homosexuality
honneur	honor
huit	eight
huitième	eighth
humaine	human

I

idées	ideas
identité	identity
il	he; it
il y a	there is; there are
illustration(s)	illustration(s)
ils	they
important	important
importante(s)	important
impressionné	impressed
influencé	influenced
inspiration	inspiration
instrument(s)	instrument(s)

insulte	insult	où l'on parle	where people speak
insultes	insults	la	the
intellectuelle	intellectual	langues	languages
intelligente(s)	intelligent	le	the
intéressantes	interesting	les	the
intéressants	interesting	lire	to read
international	international	livre(s)	book(s)
		Londres	London
		lumière	light

J

j'	I
jardin	garden
jeux	games
joie	joy
joue	play
jouent	play
jouer	to play
joueur(s)	player(s)
jours	days
juge	judge
juif	Jewish
Juifs	Jews
juive	Jewish

M

m'	me
je m'appelle	my name is
on m'appelle	people call me
ma	my
mais	but
malade	sick, ill
manière	manner
mannequin	model
marquer	to score
masques	masks
mathématiques	mathematics
médailles	medals
meilleur	best
même	same
mer	sea
mère	mother
mes	my
mieux	better; best
mille	thousand
mini-biographies	mini-biographies

K

karaté	karate
khmer	Khmer
kora	kora

L

l'	the

mini-série	mini-series
ministre	minister
miracle	miracle
moi	me
mon	my
monde	world
tout le monde	everyone
motivée	motivated
mousquetaires	musketeers
musique	music
musulman	Muslim
musulmans	Muslims

N

n'... pas	not
n'est-ce pas	isn't that so
il n'y a pas	there are not
national	national
nature	nature
ne ... pas	not
né	born
je suis né	I was born
née	born
je suis née	I was born
neige	snow
neuf	nine
njarka	one-stringed violin
noire	black
La Noire de ...	Black Girl (film title)
nombreuses	numerous
nombreux	numerous

non	no
nord	north
Afrique du Nord	North Africa
nouvelle	new
novembre	November
numéro	number

O

objets	objects
obsession	obsession
olympique(s)	olympic
Jeux Olympiques	Olympic Games
on	one; people
où l'on parle	where people speak
oncle	uncle
ont	have
onze	eleven
oppression	oppression
origine	origin
ou	or
où	where
d'où viennent	where are ... from
ouest	west
oui	yes

P

pain au chocolat	chocolate croissant
par	by
parents	parents
parle	speak
parler	to speak

participe	participate
partie	part
fais partie de	take part in
partout	all over
pas: ne... pas	not
passage	passage
passe du temps	spend time
passions	passions
patiente	patient
pauvre	poor
peindre	to paint
peins	paint
peintre	painter
pense	think
penser	to think
père	father
personne	person
personnes	people
peu	bit, little
peu de	few
peul	Fula
peuple(s)	people(s)
peut	can, is able to
peux	can, am able to
pièces de théâtre	plays
plein air	outdoors
pleine de	full of
plus	more
plus que	more than
poèmes	poems
politique	politics
porte	carry

poser	to ask
possible	possible
pour	for; in order to
pratique	practical
préfère	prefer
premier	first
première	first
près de	near
préserver	to preserve
président	president
présidente	president
problèmes	problems

Q

qu'	what; that
qu'est-ce que	what is it that
quand	when
quarante	forty
quartiers	neighborhoods
quatorze	fourteen
quatre	four
quatre-vingt-seize	ninety-six
quatre-vingt-un	eighty-one
que	what; that; than
je pense que oui	I think so
ce que	that
quel	what; what an
quelque chose	something
questions	questions
qui	who; that

R

racisme	racism
rapide	fast
réactions	reactions
réconciliation	reconciliation
réfléchis aux	reflect on
refuge	refuge
regarde	look at
région	region
rejet	rejection
repeins	repaint
résilience	resilience
ressources	resources
retaliation	retaliation
révolution	revolution
rôle(s)	role(s)
rouges	red
Rwandais	Rwandans
rwandaise	Rwandan

S

s'appelle	is called
s'écouter	to listen to each other
sais	know; know how to
saisons	seasons
savoir	to know
scène	scene
science(s)	science(s)
scientifique	scientific
se	herself; each other
secret	secret

seize	sixteen
Sénégal	Senegal
sept	seven
série	series
ses	his
seule	only
si	if
située	situated, located
six	six
société	society
soixante	sixty
soizante-douze	seventy-two
soixante et onze	seventy-one
soleil	sun
songhaï	Songhai
sont	are
source	source
souvent	often
sportif	athletic
sport(s)	sport(s)
stars	stars
succès	success
suis	am
sur	on; about
sûr	sure
bien sûr	of course, certainly

T

Tchad	Chad
télévision	television
temps	time

de temps en temps	from time to time
terrain	field
théâtre	theater
thèmes	themes
titre	title
tolérante	tolerant
tolérer	to tolerate
Tombouctou	Timbuktu
touareg	Touareg
touriste	tourist
tourment	torment
tous	all
tout	all; everything
tout le monde	everyone
traditionnelle	traditional
traditions	traditions
transformer	to transform
transition	transition
trente	thirty
très	very
trois	three
trop	too many
trophées	trophies
tu	you
tuteur	tutor

U

un	a; one
une	a; one
université	university
utile	useful

V

vais	go
veut	wants
ça veut dire	it means
veux	want
vidéos: jeux vidéos	video games
vie	life
viennent	come
viens	come
village	village; town
ville	city
vingt	twenty
violence	violence
vis	live
vite	fast
vive le foot	hurrah for soccer
vos	your
voyage	travel

W

wolof	Wolof

Y

y	to it; there
il y a	there is; there are
il n'y a pas	there are not

Z

zut	darn

List of people in this series

Adjani, Isabelle - Book 1
Adnan, Etel - Book 9
Akendengué, Pierre - Book 5
Alaïa, Azzedine - Book 4
Altrad, Mohed - Book 1
Badiel, Georgie - Book 7
Baldé, Elladj - Book 4
Bardot, Brigitte - Book 9
Ben Abdesslem, Hanaa - Book 3
de Beauvoir, Simone - Book 9
Bologne, Joseph - Book 3
Bonaparte, Napoléon - Book 7
Bonoly, Surya - Book 7
Boupacha, Djamila - Book 9
Brel, Jacques - Book 3
Chadid, Merieme - Book 7
Chanel, Coco - Book 6
Chartrand, Martine - Book 7
Chenier, Clifton - Book 2
Child, Julia - Book 10
Cixous, Hélène - Book 8
Claudel, Camille - Book 4
Cohen-Tannoudji, Claude - Book 2
Coleman, Bessie - Book 3
Coquerel, Flora - Book 6
Cousteau, Jacques - Book 3
Curie, Marie - Book 1

Damas, Léon - Book 7
Depardieu, Gérard - Book 5
Descartes, René - Book 8
Diome, Fatou - Book 4
Dion, Céline - Book 4
Dumas, Alexandre - Book 9
Dutrieu, Hélène - Book 2
Eberhardt, Isabelle - Book 10
Eiffel, Gustave - Book 5
Faure-Vidot, Magie - Book 2
Flessel-Colovic, Laura - Book 8
Flon, Catherine - Book 5
Fontenot, Mary Alice - Book 5
de Gouges, Olympe - Book 1
Grand-Pierre, Jean-Luc - Book 5
Hassani, Bilal - Book 10
Hima, Mariama - Book 4
Kamatari, Esther - Book 10
Karembeu, Christian - Book 1
Khelfa, Farida - Book 1
Kpomassie, Tété-Michel - Book 2
Laliberté, Guy - Book 10
Lê, Nguyên - Book 7
Lewis Guillory, Ida - Book 1
Louis XIV - Book 9
Mabanckou, Alain - Book 6
Manet , Raghunath - Book 4

Dedication

To Su Pesa and Alisa Shapiro: You are the best colleagues and friends. May language teachers around the world have as much fun at their jobs as we do. Aloha!

Acknowledgments

First, I would like to thank Kirstin Plante of Arcos Publishers. You jumped on board with this project after one conversation and you didn't mind its ever-expanding scope. Thank you for your confidence, for finding our illustrator, and for working on every aspect in true partnership. It has been a pleasure to work with you.

Next, several people reviewed these stories at various stages. Thank you to Isabelle Kaplan and Bertrand Cocq who provided valuable feedback early on. Thank you to Cécile Lainé, Bernard Rizzotto, Françoise Mishinger, Nelly Adelard and Patrick Parisien, who caught typos and ensured that the text sounded natural. Bernard and Cécile, you understood my vision immediately and I'm grateful for your encouragement. Indeed, an extra thank you is in order for Cécile, who attentively reread the series after I decided to lengthen many of the biographies. Our copy editor, Anny Ewing, put the final set of eyes on the books. Anny, thank you for your sharp-eyed reading, spot-on suggestions and kind praise. Your support was invaluable. I am also grateful to Esther Rosier, our illustrator. Her beautiful drawings offer multiple layers of exploration for readers and teachers.

I wouldn't have started to teach with Comprehensible Input if not for Donna Tatum-Johns, whom I saw at my first TPRS workshop. Within 10 minutes, I knew I was in the exact right place. At subsequent CI trainings, I learned from Blaine Ray, Carol Gaab, Karen Rowan and Jason Fritze. I'm lucky to have met you all. Although you didn't know of my efforts to write this series, you certainly had a role in shaping my desire to do so.

To my 6th grade students of the past few years: it has been gratifying to watch you choose these stories during our reading time and then ask if I would write more. I wrote these for you.

And finally, to my children, Jaco and Eliana, to my siblings Eva and Paul, and to my beau, Iñigo. You are always there for me, even when I'm busy behind the computer screen. And to my lovely parents... I can almost hear Dad reading these stories aloud to Mom with his best French accent.

A note to teachers & students

French is the official language of over two dozen countries and nearly 300 million people speak it today. Of course, the language sounds somewhat different from one country to the next, but it is beautiful everywhere you hear it. French is the 5th most widely spoken language in the world and it is estimated that by the year 2050, there will be over 700 million French speakers. Welcome to the club!

Qui parle français ? is a cultural stepping stone for French students ages 11 to 99. Written with simple elegance, the 100 biographies in this 10-book series target high-frequency language and abound with cognates.

Engaging illustrations accompany each story. This pairing offers the teacher a rich platform for providing compelling input. The cross-curricular tie-ins are numerous: geography, history, arts, literature, sports, business, science, fashion and more.

The intersection of culture, language, race, politics and gender is thought-provoking. The *Qui parle français ?* series is for anyone curious about French languages and French-speaking cultures.

What is in the books?
- 6 maps of the French-speaking world are found in each book.
- A complete glossary is provided in the back.
- The books can be read in any order, and the stories within each book can be read in any order.
- From Book 1 to Book 10, the total number of words per book increases from around 1,300 to 1,900 words. This book has 1,780 words.
- Each book contains approximately 450 to 550 unique words, counting each word form (importance, important, importantes) and each verb form (veut, veux, veulent) as separate words. This book has 516 unique words. Most of these words also appear in the other books of this series.
- Each story has between 130 and 190 words.
- Each story is written in the present tense and in the first person.

Teacher's Guide

A Teacher's Guide will be available at www.arcospublishers.com. The Teacher's Guide contains brief explanations on providing comprehensible input with trusted language teaching techniques developed by CI teachers, such as: Picture Talk, Story Listening, Special Person Interviews, Story Asking, One Word Images and more.

Arcos novels connect people to the world

People who acquire a new language learn more than just language skills. We also learn to understand the lives and habits of another culture. We need stories to gain insight into the countries where the language is spoken, and to understand and connect to the people who live in those countries: stories about people in their own environment; about travelers who visit the country or newcomers who are learning how to get around; and stories about historical characters that you may encounter in street names, movies, or books. All these stories enhance our understanding and empathy for cultures that are different from our own.

Arcos novels connect people to people

Even in the simplest novels, the psychology of the characters is realistic and layered, so that it is easy for the reader to connect to them and relate events and emotions to their own lives and experiences. Arcos stories are mostly upbeat and light, using a mild humor which allows for more serious topics to be treated while still maintaining a positive feel. Furthermore, our novel collection embraces an inclusive approach, offering positive role models from different cultures, genders, ages, and abilities.

Arcos novels connect people to the language

Reading stories in a new language not only creates connections between language and daily life, culture, emotions, prior knowledge, and experience, but also enhances language acquisition. For us to acquire new language, repeated exposure to words and language structures is essential. That is why all the key, high-frequency words that appear in this series are repeated several times in each book, and many times throughout the series. Readers recognize these words with increasing ease with each encounter, thus creating space in their minds to understand a greater variety of sentence structures. Even in beginner level novels, readers comprehend more complex sentences when the words are easily recognizable, helping them become more agile with the language as they read.